PRACTICA TU ESPAÑOL
EJERCICIOS DE PRONUNCIACIÓN

Autora: M.ª Luisa Gómez Sacristán
Directora de la colección: Isabel Alonso Belmonte

Español Lengua Extranjera

SOCIEDAD GENERAL ESPAÑOLA DE LIBRERÍA, S. A.

SGEL

Primera edición, 2008

Produce SGEL - Educación
Avda. Valdelaparra, 29
28108 Alcobendas (Madrid).

© M.ª Luisa Gómez Sacristán (Autora)
© Isabel Alonso Belmonte (Directora de la colección)
© Sociedad General Española de Librería, S. A., 2008
   Avda. Valdelaparra, 29, 28108 Alcobendas (Madrid)

Maquetación: MonoComp, S. A.
Fotografías: Getty Images, Cordon Press, Archivo SGEL

ISBN: 978-84-9778-321-7
Depósito legal: M-10701-2008
Printed in Spain – Impreso en España

Impresión: Edigrafos, S. A.

ÍNDICE

PRESENTACIÓN

Ejercicios de pronunciación presenta de manera sencilla y contextualizada los sonidos, el acento, la sílaba y la entonación del español a través de explicaciones claras y sencillas con las que el estudiante podrá corregir o mejorar su pronunciación. La tipología de actividades que se propone responde a criterios de verosimilitud y funcionalidad lo que permite al alumno, además de reforzar su pronunciación, familiarizarse con un amplio abanico léxico. Al final del libro, el estudiante encontrará un solucionario en el que podrá consultar las respuestas a los ejercicios propuestos así como las transcripciones de las grabaciones.

PARA EMPEZAR
EL ALFABETO

Pista 2

1 Presta atención.

EL ALFABETO				
LETRA		**NOMBRE**	**SONIDO**	**EJEMPLO**
MAYÚSCULA	**MINÚSCULA**			
A	a	a	[a]	**A**lemania
B	b	be	[b]	**B**uenos Aires
C	c	ce	[θ] [k]	**C**euta **C**olombia
Ch	ch	che/ce hache	[tʃ]	**Ch**ile
D	d	de	[d]	**D**inamarca
E	e	e	[e]	**E**cuador
F	f	efe	[f]	**F**ilipinas
G	g	ge	[g]	**G**uatemala
H	h	hache	No se pronuncia	**H**onduras
I	i	i	[i]	**I**talia
J	j	jota	[x]	**J**apón
K	k	ka	[k]	**T**i**k**al
L	l	ele	[l]	**L**ima
Ll	ll	elle	[ʎ]	Mede**ll**ín
M	m	eme	[m]	**M**adrid
N	n	ene	[n]	**N**icaragua
Ñ	ñ	eñe	[ɲ]	Espa**ñ**a
O	o	o	[o]	**O**axaca
P	p	pe	[p]	**P**anamá
Q	q	cu	[k]	**Q**u**i**to
R	r	ere erre	[r] [r̄]	Pe**r**ú **R**usia
S	s	ese	[s]	**S**evilla
T	t	te	[t]	**T**egucigalpa

EL ALFABETO				
LETRA		NOMBRE	SONIDO	EJEMPLO
MAYÚSCULA	MINÚSCULA			
U	u	u	[u]	Uruguay
V	v	uve/ve	[b]	Vitoria
W	w	uve doble ve doble doble ve	[g] [b]	Washington Westfalia
X	x	equis	[s] [gs] [ks]	México Uxmal
Y	y	i griega/ye	[i] [ĭ]	Pagaguay Yukatán
Z	z	zeta	[ө]	Venezuela

ATENCIÓN:

- Che (ch) y elle (ll) son signos ortográficos compuestos de dos letras.
- Las letras siempre son femeninas: la jota, la be...
- En Hispanoamérica se dice también be larga (b), ve corta (v) y ve doble (w).

Pista 3

2 Escucha las siguientes palabras e identifica los sonidos que existen en tu lengua. Márcalos.

Sonido	Ejemplo	En mi lengua...
[a]	Alemania	Sí No
[b]	Buenos Aires	Sí No
[ө] [k]	Ceuta Colombia	Sí No Sí No
[t∫]	Chile	Sí No
[d]	Dinamarca	Sí No

Sonido	Ejemplo	En mi lengua...
[n]	Nicaragua	Sí No
[ɲ]	España	Sí No
[o]	Oaxaca	Sí No
[p]	Panamá	Sí No
[k]	Quito	Sí No

7

Sonido	Ejemplo	En mi lengua...	Sonido	Ejemplo	En mi lengua...
[e]	**E**cuador	Sí No	[r]	Pe**r**ú	Sí No
			[r̄]	**R**usia	Sí No
[f]	**F**ilipinas	Sí No	[s]	**S**evilla	Sí No
[g]	**G**uatemala	Sí No	[t]	**T**egucigalpa	Sí No
[i]	**I**talia	Sí No	[u]	**U**ruguay	Sí No
[x]	**J**apón	Sí No	[b]	**V**itoria	Sí No
[k]	Ti**k**al	Sí No	[g]	**W**ashington	Sí No
[l]	**L**ima	Sí No	[b]	**W**estfalia	Sí No
[ʎ]	Mede**ll**ín	Sí No	[s] [gs] [ks]	Mé**x**ico **U**xmal	Sí No Sí No
			[i]	Para**g**uay	Sí No
			[ǰ]	**Y**ucatán	Sí No
[m]	**M**adrid	Sí No	[θ]	Vene**z**uela	Sí No

Pista 4

3 **Escucha y repite.**

- P
- A
- Ñ
- Ch
- M
- S
- R
- O
- K

4 **Escribe la letra junto a su nombre.**

1. hache _____
2. eñe _____
3. equis _____
4. ge _____
5. erre _____
6. ce _____

Pista 5

5 A continuación vas a escuchar a una persona deletrear el nombre de una serie de países. Escucha y escribe en su lugar correspondiente.

1. _____   4. _____

2. _____   5. _____

3. _____

! ATENCIÓN:

• En español para deletrear una palabra, se utiliza el nombre de ciudades, comunidades.... Fíjate.

Ana: A de Almería, N de Navarra, A de Alicante.

Pista 6

6 Completa el siguiente cuadro con tus datos personales. Después, escucha y, cuando oigas una de las letras que has escrito, táchala (**X**).

Nombre	Apellido
Ciudad	País

Pista 7

7 Presta atención y escucha los ejemplos.

Algunos grupos de letras representan un único sonido:

Ch [tʃ]	Chile, China, Chicago…
ll [ʎ]	Castellano, Sevilla, Mallorca...
rr [r̄]	Rusia, Roma, Corrientes...

En español solo se duplican: C, R, L, N
C: ac**c**ión   **L**: Sevi**ll**a
R: pe**rr**o   **N**: in**n**ato

¡¡¡Recuerda!!! **C**a**R**o**L**i**N**a

9

Pista 8

Presta atención y escucha los ejemplos.

La letra **h** no se pronuncia en español.	¡Hola!, Holanda...
Las letras **b** y **v** se pronuncian igual [b].	Buenos Aires, Barcelona, Valencia...
La letra **q** siempre forma un grupo con la **u** y se combina con **e** y con **i**. Se pronuncia [k].	Quito, Turquía...

Pista 9

Fíjate en las siguientes fotografías. ¿Sabes quiénes son? Son algunos hispanos famosos. Completa los siguientes microdiálogos con sus datos.

1. —¿Cómo se llama?
   —Rigoberta Menchú.
   —¿Puedes deletrearme el apellido?
   —_____

2. —¿Cómo se llama?
   —Carolina.
   —¿Y de apellido?
   —Herrera.
   —¿Cómo se escribe?
   —_____

3. —¿Cómo se llama?
   —Antonio.
   —¿Cómo se escribe?
   —_____

Pista 10

¡A JUGAR! A continuación escucharás una letra, cuando la oigas debes decir la palabra que aparece en el recuadro. Casi todas ellas son representativas del mundo hispano.

A	B	C	Ch	D
ÁRBOL	BOTELLA	CAFÉ	CHURRO	PIRÁMIDE

E	F	G	H	I
ESCRITOR	FLAMENCO	GUITARRA	HONDURAS	IGLESIA

J	K	L	Ll	M
JOTA	KIVEVE	TEQUILA	FALLA	MATE

N	Ñ	O	P	Q
ABANICO	ESPAÑA	TORO	PATATA	QUIJOTE

R	S	T	U	V
RON	SANCOCHO	TORTUGA	UVA	VINO

W	X	Y	Z
WOLFRAMIO	MÉXICO	YUCA	ZAMBOMBA

¡ENCANTAD@!

ORACIONES ENUNCIATIVAS, INTERROGATIVAS Y EXCLAMATIVAS

Escucha y presta atención.

1. ¿Cómo te llamas?

2. Vivo en Madrid.

3. ¿Puedes repetir, por favor?

4. Soy argentina.

5. Me llamo Carlos.

6. ¿A qué te dedicas?

ATENCIÓN:

- La entonación es el conjunto de ascensos o descensos del tono de voz que hacemos al hablar.
- En español los signos de interrogación, ¿?, y de exclamación, ¡!, se escriben al principio y al final de las frases.

Observa las curvas que representan la entonación de las frases anteriores.

1.

2.

3.

4.

5.

6.

ATENCIÓN:

- En español el tono de la voz:
  - En las oraciones enunciativas baja al final de la frase. ↘
  - En las oraciones interrogativas puede ser ascendente ↗ o descendente ↘ cuando la pregunta comienza con ¿qué?, ¿quién?, ¿cuál?, ¿cuánto?, ¿cómo?, ¿cuándo?, ¿dónde?

Pista 12

3 **Escucha y repite.**

Enunciativa ↘	Me llamo María Teresa.	Hablo español.
Interrogativa ↘	¿Dónde vives?	¿Cuántos años tienes?
Interrogativa ↗	¿Hablas español?	¿Vienes?

Pista 13

4 **Escucha y coloca ↘ o ↗. Después repite.**

1. ¿Qué tal?   _____
2. ¿De dónde eres?   _____
3. ¿Verdad?   _____
4. ¿Estudias o trabajas? _____
5. ¿Eres estudiante?   _____

Pista 14

5 **Escucha y repite.**

1. ¡Hasta luego!
2. ¡Qué bien!
3. ¡Uff!
4. ¡Buenos días!
5. ¡Estupendo!

ATENCIÓN:

- En las oraciones exclamativas el tono de la voz asciende en la primera sílaba ↗ y luego desciende ↘.

Pista 15

6 Escucha y escribe ¿?, ¡!, cuando sea necesario.

1. ___ Cómo estás ___
2. ___ Conoces a Carlos ___
3. ___ Encantado ___
4. ___ Buenas noches ___
5. ___ Ala ___

Pista 16

7 Escucha las siguientes frases y elige la opción correcta.

1. ¿Cómo?
   a. Puede repetir.
   b. ¿Puede repetir?
   c. ¡Puede repetir!

2. Me llamo Carlos,
   a. ¿y tú?
   b. ¡y tú!
   c. y tú.

3. Y tú,
   a. ¿qué haces?
   b. ¡qué haces!
   c. que haces.

4. ¿Cómo?
   a. ¿No entiendo?
   b. No entiendo.
   c. ¡No entiendo!

5. Un momento,
   a. ¿por favor?
   b. ¡por favor!
   c. por favor.

Pista 17

8 A. Escucha estas frases y descubre si son enunciativas, interrogativas o exclamativas. Escribe los signos ¿? ¡! cuando sean necesarios.

Verdad   _Por favor_   _Te gusta estudiar idiomas_

Claro   _Sí_   _Estudio español_

1. _____
2. _____
3. _____
4. _____
5. _____
6. _____

Pista 17

B. Ahora, vuelve a escuchar y repite.

ATENCIÓN:

- Fíjate en que la entonación transmite la intención, el estado de ánimo del hablante.

Pista 18

9 **Escucha los siguientes diálogos y selecciona.**

1. —¿Manuel? ¡Manuel!
—¡Hombre! ¡Cuánto tiempo!

a.

b.

2. —¿Te gusta mi coche?
—¿A mí?

a.

b.

3. —Te presento a José Manuel.
—¡Ah! Mucho gusto.
—Encantada.

a.

b.

Pista 19

10 **Señala la frase que escuches.**

1.
   a. No, te gusta.
   b. No te gusta.
   c. ¿No te gusta?

2.
   a. ¡Qué bien!
   b. ¿Qué? ¿Bien?
   c. ¿Qué bien?

3.
   a. Hablas español.
   b. ¿Hablas español?
   c. ¡Hablas español!

A. Presta atención.

En español hay cinco vocales: a, e, i, o, u.

Grafía: I, i
Pronunciación:
La lengua se coloca
cerca del paladar, en
la parte anterior de
la boca. Los labios
están entreabiertos
y estirados.

Grafía: O, o
Pronunciación:
La lengua se coloca
en la parte posterior
de la boca y los la-
bios se redondean.

Grafía: A, a
Pronunciación:
La lengua se separa
del paladar colocán-
dose en posición
intermedia. Los la-
bios están abiertos.

Grafía: E, e
Pronunciación:
La lengua se separa
del paladar y se coloca
en la parte delantera
de la boca. Los labios
están entreabiertos.

Grafía: U, u
Pronunciación:
La lengua se coloca
en la parte alta del
paladar y los labios
se redondean.

B. ¿Existen estos sonidos en tu lengua? ¿Se pronuncian igual?

_____

_____

_____

_____

_____

! ATENCIÓN:

• Te será útil adiestrar tu oído para distinguir los sonidos del español.

Pista 20

2 A. Fíjate en los siguientes objetos. Después, escucha y escribe al lado el número según el orden en que los escuches.

CAMA

SILLA

MESA

SOFÁ

SILLÓN

TELE

CÓMODA

BUTACA

MESILLA

HORNO

NEVERA

LAVADORA

B. Ahora, te toca a ti. Coloca los muebles y electrodomésticos en su lugar correspondiente.

Dormitorio	Salón	Cocina

Pista 21

3 Marca las palabras que escuches.

- ☐ MISA
- ☐ CASA
- ☐ CAMA

- ☐ TELE
- ☐ MESA
- ☐ MARCO

- ☐ SOLA
- ☐ COMA
- ☐ COSA

- ☐ MARCA
- ☐ SALA
- ☐ CANA

- ☐ CUNA
- ☐ TELA
- ☐ CIMA

Pista 22

4 Escucha y señala cuál es la vocal que se pronuncia con un tono de voz más fuerte.

1. Lavadora _____

2. Armario _____

3. Pared _____

4. Florero _____

5. Tenedor _____

6. Butaca _____

7. Alfombra _____

8. Visillo _____

9. Mesita _____

10. Cajonera _____

ATENCIÓN:

• En español la vocal que lleva el acento de intensidad se llama TÓNICA y el tono de voz es más fuerte. Las vocales que no tienen acento de intensidad se llaman ÁTONAS.

Pista 23

A. Escucha y completa con las vocales correspondientes. ¿Cómo pronuncias estas palabras?

1. B___Ñ___R___

2. L___V___B___

3. C___C___N___

4. L___V___D___R___

5. PL___NCH___

6. FL___X___

7. ___LF___MBR___

8. ___SP___J___

9. C___RT___N___

10. L___MP___R___

Pista 23

B. Ahora, vuelve a escuchar para comprobar la pronunciación.

Pista 24

Escucha y escribe las siguientes palabras. Después relaciónalas con el dibujo correspondiente.

1. _____
2. _____
3. _____
4. _____
5. _____
6. _____
7. _____
8. _____
9. _____
10. _____

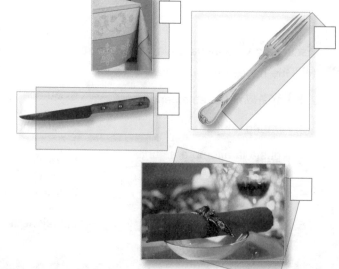

ATENCIÓN:

- En español, la vocal final se une a la primera vocal de la siguiente palabra. En estos casos, ambas vocales se pronuncian en la misma sílaba. Fíjate.

Este armario.

- En español, cuando dos vocales iguales están en contacto, aunque pertenezcan a palabras diferentes, se pronuncian como una sola. Fíjate.

Clara va a casa.

A. ¿Qué vocales se unen entre las palabras en estas frases?

1. ¿Qué haces en la cocina?

2. Su apartamento es exterior.

3. ¡Qué elegante!

4. Me gusta la alfombra amarilla.

5. La casa de mi amiga es grande.

Pista 25

B. Ahora, escucha y comprueba.

Pista 26

8 Escucha y separa las palabras de las siguientes frases.

1. Esepisoesmuybonito.

_____

2. Micasaesmuygrande.

_____

3. Elapartamentoesdemasiadopequeño.

_____

4. Micasadaaunparque.

_____

5. Lalámparaestáencendida.

_____

ATENCIÓN:

• En español una sílaba siempre tiene que llevar una vocal, como máximo puede haber tres vocales por sílaba.

Pista 27

9 Escucha los siguientes microdiálogos y señala la respuesta correcta.

1. ¿Cómo está la lámpara?
   a. La lámpara está pagada.
   b. La lámpara está apagada.

2. ¿Dónde está el niño?
   a. Está en la cuna.
   b. Está en la cana.

3. ¿Te gusta el salón?
   a. ¡Qué grande es!
   b. ¡Qué grandes!

4. ¿Qué hace?
   a. La cama.
   b. La coma.

5. ¿Dónde está Alberto?
   a. Viendo la tele.
   b. Viendo la tela.

6. ¿Te gustan las cortinas?
   a. ¡Qué elegante es!
   b. ¡Qué elegantes!

Pista 28

Escucha y repite. ¿Conoces estas palabras?

1. Iglesia
2. Tienda
3. Barrio
4. Ciudad
5. Estatua
6. Escuela
7. Antiguo
8. Ruinas

ATENCIÓN:

- En español dos vocales pueden formar parte de una misma sílaba. Se llama diptongo.

Es-cue-la

A. Completa con las palabras anteriores.

i + a = *Iglesia*

u + a =

i + e =

u + e =

i + o =

u + o =

i + u =

u + i =

B. ¿Existen estos sonidos en tu lengua? ¿Se pronuncian igual?

_____

_____

_____

_____

_____

Pista 29

3 **Escucha y marca lo que oigas.**

BUDA	CONTIGO	CIELO	VIUDA
CARTA	CUESTA	LISA	PATIO
LUISA	TAPA	CUARTA	CESTA
CELO	TAPIA	CONTIGUO	PATO

Pista 30

4 **A. Escucha y repite.**

1. Paisaje

2. Jersey

3. Gasoil

4. Autobús

5. Europa

6. COU

ATENCIÓN:

- También forman diptongo:

  a + i = *ai-re*   **a + u** = *au-la*
  e + i = *ley*   **e + u** = *Ceu-ta*
  o + i = *hoy*   *****o + u** = *bou*

- Los diptongos *ai, ei, oi* al final de palabra se escriben *ay, ey, oy.* Fíjate:

  Jersey

* En español hay pocas palabras con *ou.*

B. Completa las siguientes frases con las palabras anteriores. ¿Cómo pronuncias estas frases?

1. El _____ de la ciudad de Ceuta es impresionante.

2. Quiero comprar un _____ en la boutique.

3. El _____ se compra en la gasolinera.

4. Vamos a viajar a Soria en _____.

5. Asia, África, América, Oceanía y _____ son continentes.

6. Luisa estudia _____ en el instituto.

Pista 31

C. Ahora, escucha y comprueba.

ATENCIÓN:

- En español pueden formarse diptongos al unirse la última vocal de una palabra con la primera de la siguiente. Fíjate:

  Me gusta el ambiente urbano.

Pista 32

5 **Escucha y marca con una cruz lo que oigas.**

1.

ai	a	ei	e	oi	o

2.

au	a	eu	e	ou	o

Pista 33

A continuación vas a escuchar unos microdiálogos. Subraya la palabra que oigas.

1. paisaje / pasaje   2. sauna / sana   3. causa / casa

¿Sabes cómo se llaman los días de la semana en español?

jueves • sábado • martes • domingo
• lunes • miércoles • viernes

1. _____   5. _____
2. _____   6. _____
3. _____   7. _____
4. _____

Pista 34

A. Escucha el siguiente trabalenguas y completa.

El _____ le dijo al _____ que
fuera a casa del _____ a preguntarle
al _____ si era verdad que el
_____ le había dicho al _____
que el _____ era fiesta.

B. Ahora, te toca a ti. Lee el trabalenguas.

ATENCIÓN:

• Recuerda que hay diferentes acentos dependiendo de las diversas zonas en las que se habla español.

ATENCIÓN:

- En español tres vocales también pueden aparecer juntas dentro de una misma sílaba, entonces se llama **triptongo**. Fíjate:

  iai = *Estudiáis*   uai = *Paraguay*

  iei = *Pronunciéis*   uei = *Buey*

Pista 35

9 **Escucha y completa.**

1. Estud____s

2. Urug____

3. Pronunc____s

4. Parag____

5. Inic____

6. Limp____s

7. Ensuc____s

10 **A. ¿Cómo pronuncias estas frases?**

1. En Paraguay hay dos idiomas oficiales: el guaraní y el español.

2. Es importante que pronunciéis correctamente.

3. Uruguay está en América del Sur.

4. ¿Cuándo iniciáis la remodelación del apartamento?

5. ¿Limpiáis este fin de semana?

Pista 36

B. Ahora, escucha y comprueba.

Pista 37

A. Escucha y forma las palabras.

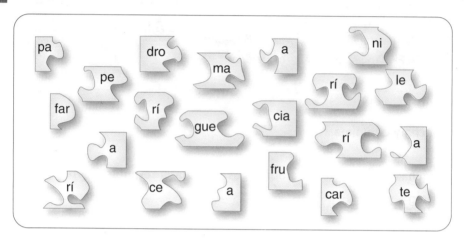

pa · dro · a · ni · pe · ma · rí · le · far · rí · cia · a · gue · rí · a · fru · rí · ce · a · car · te

B. Completa con las palabras anteriores.

í-a

_____
_____
_____
_____

-ia

_____

ATENCIÓN:

- En español dos vocales pueden aparecer juntas dentro de una palabra pero no formar parte de la misma sílaba. Sucede cuando el acento de intensidad recae sobre las vocales **i, u**, entonces se llama **hiato**.

Ma-rí-a

Pista 38

12 **Escucha las siguientes palabras y colócalas en el círculo correspondiente.**

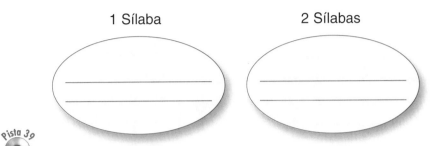

1 Sílaba   2 Sílabas

Pista 39

13 **Escucha los siguientes microdiálogos y señala la respuesta correcta.**

1. ¿Cómo está Paula?
   a. Sería.
   b. Seria.

2. ¿Qué tiempo hace?
   a. Frío.
   b. Frio.

3. ¿Cuándo vas al cine?
   a. Hoy.
   b. Oí.

4. ¿Hay un libro aquí?
   a. No, ahí.
   b. No hay.

A TRABAJAR

LAS CONSONANTES /p/, /b/, /d/, /t/, /k/, /g/

Pista 40

1

Presta atención. ¿Conoces estas profesiones? Escucha.

2. DEPENDIENTE/A

1. PILOTO

3. BAILARÍN/A

4. ABOGADO/A

5. PROFESOR/A

6. VENDEDOR/A

7. BOMBERO/A

8. CONTABLE

9. RECEPCIONISTA

10. POLICÍA

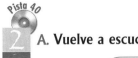
A. Vuelve a escuchar las palabras anteriores y clasifícalas.

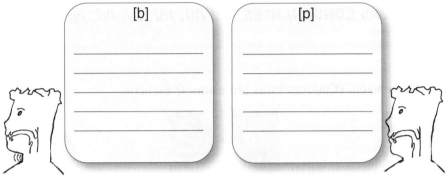

[b]

[p]

Grafía: P, p	**Grafía:** B, b; V, v; W, w*,
Pronunciación:	**Pronunciación:**
Los labios se cierran totalmente para impedir la salida del aire.	Los labios se cierran completamente para, posteriormente, dejar salir el aire.

*La letra W solo se usa en palabras de origen extranjero.

B. ¿Existen estos sonidos en tu lengua? ¿Se pronuncian igual?

Escucha y descubre el sonido intruso.

1. avión • barra • bandeja • bolígrafo
2. cultivar • vender • volar • bailar
3. psicólogo • periodista • aparejador • peluquero

ATENCIÓN:

- Recuerda que las letras **v** y **b** representan el mismo sonido en español.
- En el grupo **ps-** no se pronuncia la **p**.
- Fíjate en que el sonido [b] es más suave cuando se encuentra entre vocales. Los labios no se cierran completamente y dejan pasar el aire.

Pista 42

4 Completa las siguientes frases. Después, escucha y repite.

> comisaría • inmobiliaria • tienda • oficina • universidad • escenario
> • bufete • parque de bomberos • tienda • aeropuerto • recepción

1. El bombero trabaja en el _____.
2. El vendedor de pisos trabaja en una _____.
3. La piloto trabaja en el _____.
4. La dependienta trabaja en una _____.
5. El bailarín actúa en el _____.
6. El abogado trabaja en un _____.
7. La profesora trabaja en la _____.
8. El recepcionista trabaja en la _____.
9. La policía trabaja en la _____.
10. El contable trabaja en la _____.

Pista 43

5 ¿Se pronuncia igual el sonido [d] en todas estas palabras? Escucha y subraya las palabras en las que se pronuncia de manera más suave.

diseñador	dentista
periodista	modisto
médico	administrativo

> **Grafía:** D, d
> **Pronunciación:**
> La lengua se apoya detrás de los dientes superiores, impidiendo la salida del aire momentáneamente.

ATENCIÓN:

• Fíjate en que el sonido [d] es más suave cuando se encuentra entre vocales. La lengua se coloca entre los dientes.

Pista 44

6 Escucha y repite.

1. Torero
2. Cantante
3. Arquitecto
4. Traductor
5. Pintor

Grafía: T, t
Pronunciación:
La lengua toca la parte posterior de los dientes superiores dejando salir el aire.

Pista 45

7 Subraya la palabra que escuches.

1. toro / doro

2. tos / dos

3. duna / tuna

4. drama / trama

5. falta / falda

6. dardo / tardo

7. tía / día

8. nata / nada

9. cuatro / cuadro

Pista 46

8 Escribe nueve palabras de las anteriores. Después, escucha y tacha con una (X) las que oigas. Cuando taches todas: ¡Bingo!

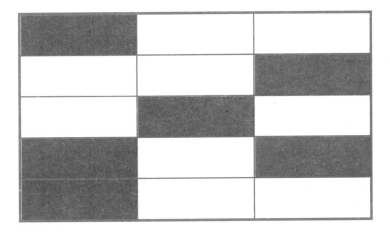

Pista 47

9 Marca lo que oigas.

1. a. Patricia tiene tos.
   b. Patricia tiene dos.

2. a. Está en el tejado.
   b. Está dejado.

3. a. ¿Qué quieres tomar?
   b. ¿Qué quieres domar?

4. a. Vamos a ver un drama.
   b. Vamos a ver una trama.

Pista 48

10 Escucha y repite.

1. Actor
2. Cartero
3. Arquitecto
4. Cantante
5. Taxista
6. Cocinero

Grafía: C, c + a, o, u
Qu, qu + e, i
K, k + vocal
Pronunciación:
La parte posterior de la lengua se coloca en el velo del paladar. Las cuerdas vocales no vibran.

ATENCIÓN:

• Fíjate en que letra x cuando va seguida de una vocal se lee como ks.

taxis

11 Busca en la sopa de letras el nombre de seis instrumentos relacionados con las profesiones del ejercicio anterior.

1. _____

2. _____

3. _____

4. _____

5. _____

6. _____

M	E	C	L	O	S	T
S	A	P	M	L	U	T
T	O	S	I	D	A	A
K	Y	P	C	N	I	X
A	A	T	R	A	C	I
N	M	Q	O	C	R	O
I	T	U	F	O	E	A
C	E	I	O	M	L	T
O	R	O	N	P	T	S
C	E	R	O	A	E	Y
L	L	B	S	S	H	U

Pista 49

12 Escucha y completa.

/k/
- c + o, a, u: _____ _____
- qu + e, i: _____ _____
- k + vocal: _____

Pista 50

13 Escucha y repite.

1. Abogado
2. Iglesia
3. Gramático
4. Lingüista
5. Ganadero
6. Guitarrista
7. Mago

Grafía: G, g + a, o, u
Gu, gu + e, i
Güe, Güi, güe, güi
Pronunciación:
El postdorso de la lengua se apoya en el velo del paladar impidiendo que salga el aire.

! ATENCIÓN:

- Fíjate en que el sonido [g] es más suave cuando se encuentra entre vocales.
- Observa que en **gue, gui** no se pronuncia la **u**. En las palabras que se pronuncia la **u** ante **e, i** se escribe diéresis (¨).

Paragüero

Pista 51

14 Escucha y completa. Después lee.

1. BILIN_____   5. _____A

2. PIN_____NO   6. _____SANTE

3. _____RRERO   7. JUE_____

4. _____TARRISTA   8. ASI_____NATURA

Pista 52

15 **A. Escucha y ordena correctamente el siguiente trabalenguas.**

no gusta del gusto
que gusta mi gusto,
que disgusto se lleva mi gusto
Si su gusto no gusta del gusto
al saber que su gusto
que gusta mi gusto

B. Ahora, escribe y lee.

_____

_____

_____

_____

_____

1 Presta atención al árbol genealógico de la familia Jarama.

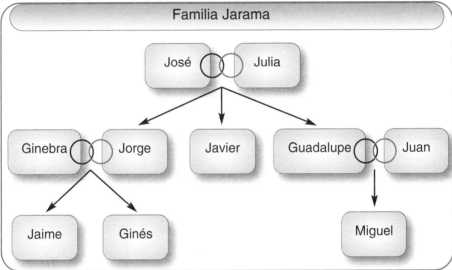

Familia Jarama

José ── Julia

Ginebra ── Jorge   Javier   Guadalupe ── Juan

Jaime   Ginés   Miguel

Pista 53

2 Escucha cómo se pronuncian estos nombres y clasifícalos.

/x/

/g/

Grafía: J, j + a, e, i, o, u
G, g + e, i
Pronunciación:
La parte posterior de la lengua se acerca al velo del paladar sin tocarlo, dejando un espacio para que el aire salga.

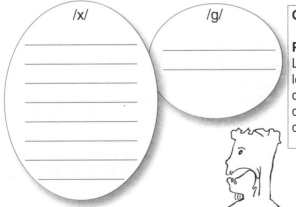

ATENCIÓN:

- Fíjate en que en todos estos nombres aparece el mismo sonido, pero representado por diferentes letras, la letra **g** (junto a las vocales **e, i**) y la letra **j** (junto a las vocales **a, e, i, o, u**).

Pista 54

3

A. Escucha y repite.

1. Hijo
2. Ahijado
3. Mujer
4. Pareja
5. Cónyuge

B. ¿Existe este sonido en tu lengua? ¿Se pronuncia igual?

_____

_____

_____

_____

4

A. Lee en voz alta el siguiente texto.

Julio Rodríguez está casado, su mujer se llama Guadalupe. Tienen un hijo, Hugo. Viven en Granada. Trabaja de jefe de ventas en unos grandes almacenes. Es vegetariano y le gusta mucho tocar la guitarra.

Pista 55

B. Escucha y comprueba. Después busca más palabras en el texto y escríbelas en su lugar correspondiente.

[g] ga, gue, gui, go, gu	**[x]** ja, je, ji, jo, ju, ge, gi
Rodríguez	Julio

Recuerda que en la unidad 5 puedes ver la pronunciación de [g].

Pista 56

5 Escucha y repite.

1. Sobrino
2. Padres
3. Esposo
4. Tíos
5. Suegro
6. Consuegra
7. Madrastra

Grafía: S, s
Pronunciación:
La punta de la lengua se coloca entre los dientes superiores y el comienzo del paladar sin que exista contacto entre ambos.

Pista 56

6 A. ¿Se pronuncia igual el sonido [s] en todas las palabras anteriores? Vuelve a escuchar y subraya la palabra o las palabras en las que la [s] es sonora.

sobrino

tíos

padres

consuegra

esposo

suegro

madrastra

ATENCIÓN:

- El sonido [s] es sordo cuando se encuentra al principio y al final de la palabra, entre vocales o junto a las consonantes p, t, qu, f, c, j, ch.
- El sonido [s] es sonoro cuando se encuentra junto a las consonantes b, d, g,

B. ¿Existe este sonido en tu lengua? ¿Se pronuncia igual?

_____

_____

_____

_____

_____

Relaciona.

1. Sobrino/a   **a.** Hombre o mujer casado en relación con su mujer o con su marido.
2. Madre   **b.** Hermano o hermana del padre o de la madre.
3. Padres   **c.** Hombre y mujer en relación con sus hijos.
4. Esposo/a   **d.** Padre o madre del esposo o de la esposa.
5. Tío/a   **e.** Mujer en relación con sus hijos.
6. Suegro/a   **f.** Esposa del hijo.
7. Consuegro/a   **g.** Hijo o hija de un tío o de una tía.
8. Madrastra   **h.** Hijo o hija del hijo o de la hija.
9. Padrastro   **i.** Marido de la madre en relación con los hijos que no son suyos, sino de su mujer.
10. Primo/a   **j.** Mujer casada en relación con su marido.
11. Mujer   **k.** Padre o madre del padre o de la madre.
12. Hermano/a   **l.** Persona que tiene los mismos padres que otra.
13. Cuñado/a   **m.** Esposo de la hermana o esposa del hermano.
14. Abuelo/a   **n.** Esposo de la hija.
15. Nieto/a   **ñ.** Mujer del padre en relación con los hijos que no son suyos, sino de su marido.
16. Yerno   **o.** Hijo o hija del hermano o de la hermana.
17. Nuera   **p.** Padre o madre de un cónyuge con respecto a los del otro.

8 **A. Completa las siguientes frases.**

> padres • sobrino • esposo • tíos • suegro

1. José es el _____ de Julia.

2. José y Julia son los _____ de Jorge, Javier y Guadalupe.

3. Ginés es el _____ de Guadalupe y de Javier.

4. José es el _____ de Ginebra y Juan.

5. Javier, Guadalupe y Juan son los _____ de Jaime y Ginés.

B. Escucha y comprueba. Después, lee en voz alta.

C. Ahora te toca a ti. Escribe frases con las relaciones de parentesco que faltan.

> hermano/a • cuñado/a • abuelo/a • nieto/a • yerno / nuera • primo/a

1. _____

2. _____

3. _____

4. _____

5. _____

6. _____

7. _____

A. Escucha y repite.

1. Nacer
2. Bautizar
3. Divorciarse
4. Casarse
5. Morirse
6. Separarse

> **Grafía:** Z, z + a, e, i, o, u
> C, c + e, i
> **Pronunciación:**
> La punta de la lengua se coloca entre los dientes superiores e inferiores. Las cuerdas vocales no vibran.

B. ¿Existe este sonido en tu lengua? ¿Se pronuncia igual?

_____

_____

_____

_____

_____

Pista 59

A. Lee y escucha.

A. ¿Que cómo es la familia hispana?
Pues, depende del país, pero es muy
importante. En Cuba es grande y está
formada por los padres, tres o cuatro hijos,
abuelos, tíos, sobrinos y padrinos. Los
hombres trabajan fuera de casa y las
mujeres se ocupan de los quehaceres
domésticos y de la crianza, aunque esto está
cambiando. La mayor parte de las
actividades sociales, almuerzos,
celebraciones, etc., se realizan siempre con
la familia.

ATENCIÓN:

- Recuerda que hay diferentes acentos dependiendo de las diversas zonas en las que se habla español.

B. ¿La familia española? No sé, hay muchos
tipos y, sobre todo, ha cambiado mucho en
los últimos años, pero sigue siendo muy
importante. La familia más habitual es la
que tiene un padre, una madre y un solo
hijo, a lo sumo dos. Estos viven con los
padres hasta muy tarde. Lo normal es que
los padres trabajen fuera de casa y que los
abuelos cuiden de los hijos más pequeños.

ATENCIÓN:

- En algunas zonas de España (Canarias, parte de Andalucía) y en zonas de Hispanoamérica, se pronuncia la /ɵ/ como /s/. A este fenómeno se le llama seseo.

B. **Vuelve a escuchar y señala.**

	A	B
No pronuncia la /s/ al final de palabra		
Diferencia /s/ y /ө/		
Pronuncia la /s/ final		

Pista 60

11 A. **Escucha y repite.**

1. Familia
2. Filial
3. Huérfano
4. Felicitación
5. Festejar

Grafía: F, f
Pronunciación:
Los dientes superiores tocan el labio inferior, dejando que el aire salga con dificultad.

B. **¿Existe este sonido en tu lengua? ¿Se pronuncia igual?**

_____

_____

_____

_____

_____

12 Relaciona las preguntas con las respuestas. Después escucha y comprueba.

¿A qué se dedica tu hermano?	¿Cómo es tu cuñado?
¿Cocinas?	¿Dónde está tu familia?
¿Tienes hijas?	¿Tienes fresas?
¿Qué haces?	¿Cómo estás?

1. _____ - Es majo.

2. _____ - Cansado.

3. _____ - En una fiesta.

4. _____ - Es mago.

5. _____ - No, tengo un hijo.

6. _____ - No, tengo un higo.

7. _____ - Un cocido.

8. _____ - Un cosido.

LA SÍLABA. EL ACENTO DE INTENSIDAD

1 **Presta atención.**

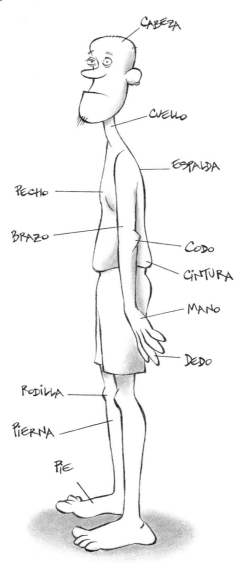

CABEZA

CUELLO

ESPALDA

PECHO

BRAZO

CODO

CINTURA

MANO

DEDO

RODILLA

PIERNA

PIE

Pista 62

2 Escucha las palabras anteriores pronunciadas por sílabas y repite. ¿Cuántas sílabas tienen?

1. Cabeza _____

2. Cuello _____

3. Pecho _____

4. Brazo _____

5. Codo _____

6. Mano _____

7. Dedo _____

8. Cintura _____

9. Espalda _____

10. Pierna _____

11. Rodilla _____

12. Pie _____

ATENCIÓN:

• El español tiene ritmo silábico.

Pista 63

3 A. Escucha y forma las palabras que oigas.

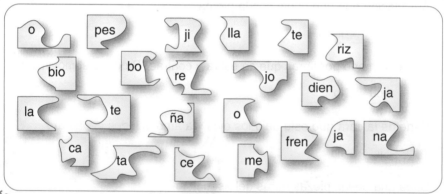

Pista 63

B. Ahora vuelve a escuchar, y comprueba.

1. _____

2. _____

3. _____

4. _____

5. _____

6. _____

7. _____

8. _____

9. _____

10. _____

ATENCIÓN:

- Recuerda que en español la sílaba debe llevar siempre una vocal, como máximo puede llevar tres vocales.

Pista 64

4 Escucha y completa las siguientes palabras con la sílaba que falta.

to   mús   tu   me   pal   hue

1. Parte del cuerpo que va desde los hombros hasta la cintura.

| Es | | da |

2. Parte del cuerpo estrecha que está a la altura del estómago.

| Cin | | ra |

3. Articulación que une el pie con la pierna.

| | bi | llo |

4. Tejido formado por fibras que se estira y contrae. Produce el movimiento.

| | cu | lo |

5. Parte de la cara que está bajo los ojos y a ambos lados de la nariz.

| | ji | lla |

6. Cada una de las piezas duras del esqueleto.

| | so |

ATENCIÓN:

- En español si la palabra lleva tilde (´), ésa es la sílaba fuerte o tónica.

Pista 65

5 Escucha las siguientes palabras y señala con un círculo cuál es la sílaba fuerte.

1. Axilas

2. Cejas

3. Muñeca

4. Nuca

5. Párpados

6. Hígado

7. Corazón

8. Lengua

9. Pestañas

ATENCIÓN:

- En español el lugar del acento es libre, puede aparecer en cualquier sílaba de una palabra. La sílaba fuerte puede ser la última (CoraZÓN), la penúltima (RoDIlla) o la antepenúltima (EsTÓmago)

Pista 65

6 Ahora, vuelve a escuchar las palabras y clasifícalas según el lugar donde lleven el acento de intensidad.

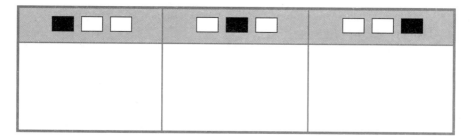

ATENCIÓN:

- La sílaba fuerte puede ser la antepenúltima (PÁRpados), entonces hablamos de palabras ESDRÚJULAS.
- La sílaba fuerte puede ser la penúltima (NUca), entonces hablamos de palabras LLANAS.
- La sílaba fuerte puede ser la última (CoraZÓN), entonces hablamos de palabras AGUDAS.

RECUERDA:

- Estas palabras pueden llevar acento gráfico, tilde (´).
- En español son muchas las palabras que tienen la sílaba fuerte o tónica en la penúltima sílaba.

Pista 66

7 Escucha y completa. Después, repite.

Agudas	Llanas
☐ ☐ ■	☐ ■ ☐

ATENCIÓN:

- Las palabras agudas llevan tilde (´) solo cuando terminan en **vocal** *(marroquí)*, **-n** *(llorón)*, **-s** *(cortés)*.
- Las palabras llanas llevan tilde (´) solo cuando terminan en una consonante diferente de **-n**, **-s** *(dócil)*.

8 Ahora coloca la tilde (´) en las palabras anteriores si es necesario.

Agudas con tilde (´)			Agudas sin tilde (´)
-n	-s	vocal	
Llanas con tilde (´)			**Llanas sin tilde (´)**
Consonante diferente de -n, -s			

ATENCIÓN:

- Las palabras esdrújulas siempre llevan tilde (´) *(diplomático)*.

Pista 67

9 Escucha y repite. Después clasifica las palabras en su lugar correspondiente. Escribe tilde (´) si es necesario.

Agudas	Llanas	Esdrújulas

10 Ahora, te toca a ti. Coloca los adjetivos de los ejercicios anteriores en su lugar correspondiente.

Adjetivos de carácter	
Adjetivos físicos	

11 ¿Qué palabras se ocultan?

> tímido • sincero • alegre • espontáneo
> • sensible • egoísta • abierto • cortés

1.

| | | Persona que respeta las normas establecidas en el trato social. |

2.

| | | Persona que tiene dificultades para actuar en público o para relacionarse con personas que no conoce. |

3.

| | | | Persona que busca su propio interés sin importarle los demás. |

4.

| | | Persona que habla o se relaciona fácilmente con otras personas. |

50

Pista 68

12 Subraya la palabra que oigas.

1. médico / medico

2. pie / píe

3. diagnostico / diagnóstico

4. público / publico

5. ejército / ejercito

ATENCIÓN:

• En español el acento puede producir cambio de significado.

13 A. Señala en las siguientes frases los lugares en los que podrías hacer una pausa.

1. Como no hagas deporte no tendrás buena salud.

2. ¿No te encuentras bien?

3. Me duele la cabeza la garganta y los oídos.

4. ¿Qué le pasa?

5. No necesito descansar.

ATENCIÓN:

• Fíjate que en español no se marca el límite entre palabras, éstas se unen formando grupos fónicos.

• Cuando hablamos hacemos pausas, pero las palabras que forman un grupo fónico entre pausa y pausa se pronuncian encadenadas y no de manera aislada.

• Recuerda que las consonantes en posición final se convierten en iniciales de sílabas si la palabra siguiente empieza por vocal.

• Recuerda que las vocales finales de una palabra se unen a la vocal inicial de la siguiente.

Pista 69

B. Ahora, escucha y comprueba.

A LA MESA
LAS CONSONANTES /r/, /r̄/, /l/, /ʎ/

Pista 10

1

Presta atención. ¿Conoces estas palabras? Escucha y escribe.

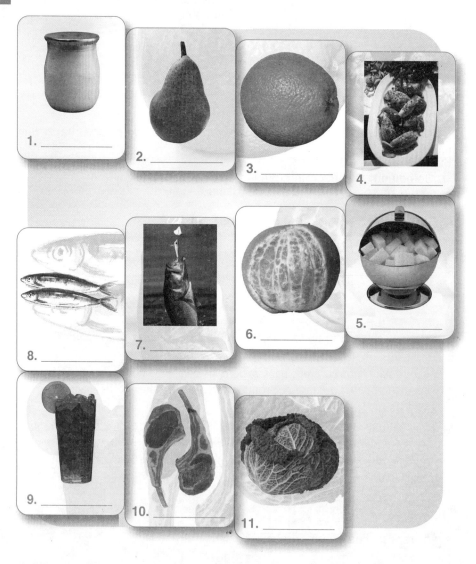

1. _____

2. _____

3. _____

4. _____

5. _____

6. _____

7. _____

8. _____

9. _____

10. _____

11. _____

Pista 70

2 A. **Vuelve a escuchar las palabras anteriores. ¿Se pronuncia igual la r en todas las palabras? Señala en las que se pronuncia de manera más suave.**

| yogur | mandarina | repollo |

| pera | merluza |

Grafía: R, r
Pronunciación:
La punta de la lengua se coloca en la parte anterior de la boca, apoyándose detrás de los dientes.

| naranja | sardina |

| calamar | refresco |

| azúcar | cordero |

ATENCIÓN:

• Fíjate en que la letra r es más suave cuando se encuentra entre vocales, delante de consonante y al final de palabra.

B. **¿Dónde se compran estos productos?**

Frutería	Carnicería	Pescadería	Panadería

Pista 71

3 A. **Escucha y señala.**

	1. Pera	2. Repollo	3. Calamar	4. Espárrago	5. Boquerón	6. Arroz
suave						
fuerte						

Grafía: [r̄] R, r, -rr-
Pronunciación:
La punta de la lengua se coloca al principio del paladar y las cuerdas vocales vibran.

ATENCIÓN:

• La letra r es más fuerte cuando se encuentra en posición inicial de palabra, precedida de **n, l, s** y entre vocales.

B. ¿Existe este sonido en tu lengua? ¿Se pronuncia igual?

_____

_____

_____

_____

_____

Pista 12

4 Escucha las palabras y completa. Después lee en voz alta.

1. ZANAHO__IA
2. PUE__O
3. ALBA__ICOQUE
4. CE__EZA
5. LICO__

6. REF__ESCO
7. CO__DE__O
8. __APE
9. B__ÉCOL
10. CE__DO

11. T__UCHA
12. TE__NE__A
13. ME__LUZA
14. CI__UELA
15. __ON.

5 Clasifica las palabras anteriores según lleven el sonido [r] ó [r̄].

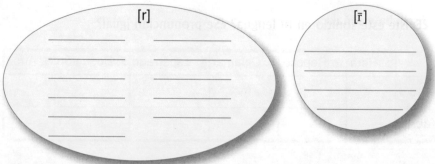

[r]

[r̄]

RECUERDA:

> *Enrique*
> • Cuando el sonido r va detrás de **l, n** o **s** se escribe «**r**» y no «**rr**».

6 Clasifica los alimentos anteriores.

Carne	Pescado	Verduras	Frutas	Bebidas

ATENCIÓN:

> • Fíjate en que la r puede ir agrupada con las consonantes **p, b, f, t, d, k, g**.

Pista 73

7 **A. Escucha y repite.**

1. Merluza
2. Pulpo
3. Salmón
4. Lubina
5. Lenguado
6. Palometa

> **Grafía:** L, l
> **Pronunciación:**
> La punta de la lengua se coloca al principio del paladar y, posteriormente, se separa dejando salir el aire por los laterales de la boca.

B. ¿Existe este sonido en tu lengua? ¿Se pronuncian igual?

_____

_____

_____

_____

_____

ATENCIÓN:

• En algunas zonas de América, Canarias y España se produce confusión entre la r y la l cuando aparecen en posición final y final de palabra.

Pista 74

8 Escucha y repite.

1. Tamarillo
2. Membrillo
3. Grosella
4. Granadilla

Grafía: Ll, ll
Pronunciación:
El predorso de la lengua se coloca en la parte central del paladar. El aire sale por los laterales de la lengua.

ATENCIÓN:

• En muchas zonas del mundo hispánico no se diferencia entre /ʎ/ y /ǰ/, ambas se pronuncian igual [j].

Pista 75

9 A. Escucha y escribe el nombre de cuatro sabores. Después búscalos en la sopa de letras.

1. _____   2. _____   3. _____   4. _____

M	E	C	L	O	S	T
S	D	U	L	C	E	T
T	O	S	I	D	A	A
K	Y	P	C	N	I	A
A	A	T	A	A	C	M
N	M	G	O	O	R	A
I	R	U	I	D	E	R
C	E	R	O	I	L	G
O	G	O	N	C	T	O
A	E	R	O	A	E	Y
L	L	B	S	S	H	U

B. Ahora completa.

1. El tamarillo es _____.

2. El membrillo es _____.

3. La grosella es _____.

4. La granadilla es _____.

C. ¿Existe este sonido en tu lengua? ¿Se pronuncia igual?

_____

_____

_____

_____

_____

A. Completa el siguiente diálogo.

barra • litro (3) • botella • gramos • trozo • lonchas

Dependiente: Buenos días.

Cliente: Buenos días.

Dependiente: ¿Qué le pongo?

Cliente: Una (1) _____ de pan y una (2) _____ de leche.

Dependiente: ¿De (3) _____ o de (4) _____ y medio?

Cliente: De (5) _____ y medio.

Dependiente: ¿Quiere algo más?

Cliente: Sí, trescientos (6) _____ de jamón york y queso.

Dependiente: ¿Un (7) _____?

Cliente: No, en (8) _____, por favor.

Dependiente: ¿Algo más?

Cliente: No, nada más. La cuenta, por favor.

Dependiente: Vamos a ver. Son 24 euros.

Pista 76

B. Ahora, escucha y comprueba.

Ahora te toca a ti. Relaciona las medidas con su producto correspondiente.

1. Un litro de
2. Una botella de
3. Un cartón de
4. Una tableta de
5. Un paquete de
6. Una lata de
7. Una barra de
8. Trescientos gramos de
9. Un kilo de
10. Media docena de
11. Un racimo de
12. Un trozo de

a. arroz
b. uvas
c. aceite
d. chocolate
e. espárragos
f. vino
g. clementinas
h. pan
i. huevos
j. salchichón
k. leche
l. queso

 ATENCIÓN:

• La l se puede agrupar con p, f, c, g.

 Pista 17

Escucha los siguientes diálogos y señala la respuesta correcta.

1. ¿Cuál te apetece?
   a. Prefiero un bollo.
   b. Prefiero un bolo.

2. ¿Qué van a tomar?
   a. Yo, de primero, pollo.
   b. Yo, de primero, polo.

3. ¿Qué van a tomar de primero?
   a. Un entrante, aros.
   b. Un entrante, arroz.

4. ¿Qué le pongo?
   a. Una vara.
   b. Una barra.

DE TIENDAS

LAS CONSONANTES /tʃ/, /ʃ/

Presta atención. Después escucha y escribe el nombre de cada prenda.

chal • pichi • chaqueta • traje chaqueta
• poncho • chándal • chubasquero

1. _____

2. _____

3. _____

4. _____

5. _____

6. _____

7. _____

Pista 78

2 A. Vuelve a escuchar y repite.

1. Chaqueta
2. Chándal
3. Chubasquero
4. Poncho
5. Traje chaqueta
6. Pichi
7. Chal

Grafía: Ch, ch
Pronunciación:
La lengua se apoya en el paladar, separándose rápidamente para dejar pasar el aire.

B. ¿Existe este sonido en tu lengua? ¿Se pronuncia igual?

_____

_____

_____

_____

_____

Pista 79

3 Marca la palabra que oigas.

1. poncho / pongo

2. chal / sal

3. racha / raya

4. chaqueta / baqueta

5. manta / mancha

6. chillón / millón

Pista 80

4 A. Escucha y ordena.

1. LSCHACNA: _____
2. BCHORE: _____
3. ISNACHEL: _____
4. OECALCH: _____
5. NOECHQUAT: _____
6. RMCHARAA: _____

ATENCIÓN:

• Recuerda que la letra **ch** es una letra doble (c + h), pero representa un único sonido.

Pista 80

B. Ahora vuelve a escuchar para comprobar la pronunciación.

5 **A. Señala la respuesta correcta.**

1. ¿Abrochar o desabrochar?

2. ¿Ancho o estrecho?

3. ¿Percha o perchero?

4. ¿Planchar o arrugar?

5. ¿Planchar o arrugar?

6. ¿Percha o perchero?

7. ¿Ancho o estrecho?

8. ¿Abrochar o desabrochar?

Pista 81

B. Ahora escucha y comprueba.

Pista 82

Escucha y repite.

1. Jersey
2. Joya
3. Rayas
4. Soy
5. Playeras
6. Muy

Grafía: Y, y
Pronunciación:
La lengua se apoya en el paladar, pero sin llegar a tocarlo, dejando una pequeña abertura en el centro por donde pasa el aire.

ATENCIÓN:

• Fíjate en que la **y** en posición final se pronuncia igual que la vocal **i**.

Pista 82

A. ¿Se pronuncia igual el sonido [y] en todas las palabras anteriores? Vuelve a escuchar.

rayas

jersey

joya

muy

soy

playeras

B. ¿Existe este sonido en tu lengua? ¿Se pronuncia igual?

_____

_____

_____

_____

_____

ATENCIÓN:

• Recuerda que muchos hablantes de español no diferencian /ʎ/ y /ɟ/ y pronuncian las dos como [ɟ].

Pista 83

Escucha y completa. ¿Cómo pronuncias estas palabras?

1. MA__A   4. PI__AMA

2. ANI__O   5. PO__ERA

3. JO__A   6. PLA__ERAS

9 A continuación vas a escuchar unos microdiálogos. Subraya la palabra que oigas.

1. mancha / manga   2. piyama / pijama   3. playera / paella

10 A. Fíjate en los siguientes dibujos y completa los microdiálogos con los datos que aparecen en los bocadillos de pensamiento.

1. Buenos días, ¿qué desea?
   _____ de rayas.
   ¿Qué talla?
   _____, por favor.

2. Buenos días, ¿la puedo ayudar en algo?
   Sí. ¿Tienen _____ lisos?
   Sí. Ahora mismo se los enseño.

3. ¡Hola!, ¿te puedo ayudar?
   Sí, estoy buscando _____.
   ¿Qué número necesitas?
   El número treinta y ocho.

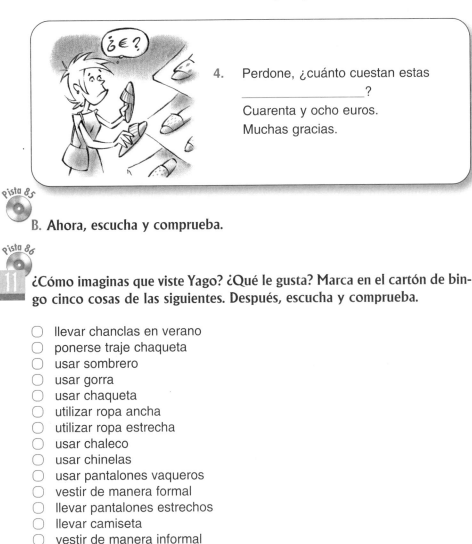

4. Perdone, ¿cuánto cuestan estas
   _____?
   Cuarenta y ocho euros.
   Muchas gracias.

Pista 85

B. Ahora, escucha y comprueba.

Pista 86

11 **¿Cómo imaginas que viste Yago? ¿Qué le gusta? Marca en el cartón de bingo cinco cosas de las siguientes. Después, escucha y comprueba.**

- ○ llevar chanclas en verano
- ○ ponerse traje chaqueta
- ○ usar sombrero
- ○ usar gorra
- ○ usar chaqueta
- ○ utilizar ropa ancha
- ○ utilizar ropa estrecha
- ○ usar chaleco
- ○ usar chinelas
- ○ usar pantalones vaqueros
- ○ vestir de manera formal
- ○ llevar pantalones estrechos
- ○ llevar camiseta
- ○ vestir de manera informal
- ○ llevar chaquetón en invierno
- ○ llevar joyas

 Presta atención. ¿Conoces estas palabras?

1. ASIENTO

2. MOSTRADOR

3. ESTACIÓN

4. TRANVÍA

5. LOCOMOTORA

6. EMBARQUE

7. VAGÓN

8. AVIÓN

9. METRO

10. TREN

A. Escucha y repite.

1. Asiento
2. Mostrador
3. Estación
4. Tranvía
5. Locomotora
6. Embarque
7. Vagón
8. Avión
9. Metro
10. Tren

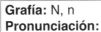

Grafía: M, m
Pronunciación:
Los labios se cierran totalmente para impedir la salida del aire y éste sale por la nariz.

Grafía: N, n
Pronunciación:
La punta de la lengua se apoya sobre los dientes superiores y el aire sale por la nariz.

B. ¿Existen estos sonidos en tu lengua? ¿Se pronuncian igual?

_____

_____

_____

_____

_____

Vuelve a escuchar las palabras anteriores y clasifícalas.

[m]

[n]

ATENCIÓN:

• Recuerda que en español antes de −p y −b se escribe m.

Pista 88

4 ¿Se pronuncia igual el sonido [m] en todas estas palabras? Escucha y marca las palabras en las que se pronuncia de manera diferente.

álbum

embarque

tándem

microbús

motocicleta

metro

ATENCIÓN:

• Fíjate en que la letra **m** cuando aparece al final de palabra se pronuncia como [n].

Pista 89

5 Escucha y descubre el sonido intruso.

1. álbum • maletero • información • aeromozo
2. cinta • cabina • capitán • embarcar
3. túnel • balanza • tranvía • dársena

ATENCIÓN:

• La letra **n** se pronuncia como [m] delante de la letra **v**.

Pista 90

6 ¿Se pronuncia igual el sonido [n] en todas estas palabras? Escucha y marca las palabras en las que se pronuncia de manera suave.

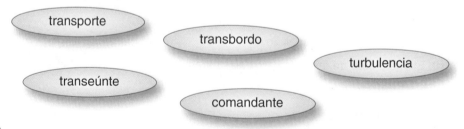

transporte

transbordo

turbulencia

transeúnte

comandante

ATENCIÓN:

• Fíjate en que la **n** se pronuncia de manera suave en los grupos **trans-**, **ins-**, **cons-**.

Pista 91

A. Escucha y completa. Después lee.

1. CI__TA
2. TRIPULACIÓ__
3. __ALETA
4. CA__AROTE
5. TÚ__EL

6. __UELLE
7. AERO__OZA
8. VE__TA__ILLA
9. TER__I__AL
10. FACTURACIÓ__

B. Clasifica las palabras anteriores, algunas pueden ir con uno o con varios medios de transporte.

Tren	Barco	Avión

Pista 92

C. Ahora, escucha y completa las siguientes frases con las palabras anteriores.

1. Por favor, deposite sus cosas en la _____ mecánica.

2. Siga las instrucciones de la _____.

3. ¿Puedo facturar esta _____?

4. Viajamos en un _____ exterior.

5. Atención, el tren se acerca a un _____.

6. El barco está atracado en el _____ seis.

7. En América se llama _____ a las azafatas de aviación.

8. ¿Qué prefiere, _____ o pasillo?

9. Por favor, ¿el mostrador de _____ de Iberia?

10. El vuelo sale de la _____ tres.

Pista 93

8 Marca la palabra que oigas.

1. cama / cana

2. moto / noto

3. noción / moción

4. camino / canino

5. cono / como

6. ene / eme

A. Completa las palabras que corresponden a estas definiciones.

1. Ir por el agua en una embarcación o por el aire con un vehículo.   __avegar

2. Moverse o trasladarse de un lugar a otro a pie.   A__dar

3. Dejar sin efecto una cuenta bancaria, un trato, etc.   Ca__celar

4. Volver a aprobar lo ya realizado.   Co__fir__ar

5. Introducir personas en una embarcación, tren o avión.   E__barcar

6. Conducir o llevar un vehículo.   __a__ejar

B. Después, relaciona.

1. _____ en barco.

2. _____ un billete.

3. _____ un coche.

4. _____ a pie.

5. _____ una reserva.

6. _____ en el muelle tres.

ATENCIÓN:

• La ñ es la letra más característica del español.

Pista 94

Escucha y repite.

1. Eñe
2. España
3. Montaña
4. Otoño
5. Compañía

Grafía: Ñ, ñ
Pronunciación:
La punta de la lengua se coloca en la parte anterior del paladar y el aire sale por la nariz.

Pista 95

Escucha y escribe ñ cuando sea necesario.

1. ANORAR
2. ESPANOL
3. ACOMPANANTE
4. CAMPANA
5. NAVEGAR
6. CARAVANA
7. COMPANÍA
8. SENAL
9. ITINERARIO

12 Completa el siguiente diálogo.

> mañana • Madrid • compañía • medianoche • terminal

Empleado: Buenos días.

Cliente: Buenos días. Quería un billete para [1] _____.

Empleado: ¿Para cuándo?

Cliente: Para [2] _____. ¿Qué vuelos hay?

Empleado: Tiene varios, dependiendo de la [3] _____: el primero, el de Iberia, sale a las ocho, un poco más tarde hay otro de Air Europa, a las nueve y, a medianoche, uno de AeroMéxico que sale a las doce y cuarto.

Cliente: ¿A qué hora llega el de [4] _____?

Empleado: A las ocho de la mañana. Llega a la [5] _____ número 1.

Cliente: Perfecto. Deme un billete de ida y vuelta para ese avión.

Pista 96

B. Ahora, escucha y comprueba.

Pista 97

13 Escucha las siguientes preguntas y señala la respuesta más adecuada.

1. a. ¿Que qué significa Hispania?
   b. ¿Que qué significa España?

2. a. Éste es mi canino.
   b. Éste es mi camino.

3. a. Monta la tienda de campaña.
   b. Monta la tienda de campana.

4. a. No, estoy cansada.
   b. No, estoy casada.

5. a. Es mamá.
   b. Es maña.

TRANSCRIPCIONES

UNIDAD 1

(Pista 2) Ejercicio 1.
a, be, ce, che / ce hache, de, e, efe, ge, hache, i, jota, ca, ele, elle, eme, ene, eñe, o, pe, cu, ere, erre, ese, te, u, uve, uve doble, equis, i griega, zeta.

(Pista 3) Ejercicio 2.
Alemania, Buenos Aires, Ceuta, Colombia, Chile, Dinamarca, Ecuador, Filipinas, Guatemala, Italia, Japón, Tikal, Lima, Medellín, Madrid, Nicaragua, España, Oaxaca, Panamá, Quito, Perú, Rusia, Sevilla, Tegucigalpa, Uruguay, Vitoria, Washington, Westfalia, México, Uxmal, Paraguay, Yucatán, Venezuela.

(Pista 4) Ejercicio 3.
Pe, a, eñe, che / ce hache, eme, ese, ere, o, ka.

(Pista 5) Ejercicio 5.
1. i-te-a-ele-i-a. **2.** jota-a-pe-o-ene. **3.** pe-e-ere-u. **4.** eme-e-equis-i-ce-o. **5.** efe-ere-a-ene-ce-i-a.

(Pista 6) Ejercicio 6.
a, e, be, ka, ce, che / ce hache, de, zeta, ese, efe, ge, hache, equis, i, jota, elle, uve, eme, ene, eñe, o, ele, te, pe, cu, ere, erre, u, uve doble, i griega.

(Pista 7) Ejercicio 7.
Chile, China, Chicago, Castellano, Sevilla, Mallorca, Rusia, Roma, Corrientes.

(Pista 8) Ejercicio 8.
¡Hola!, Holanda, Buenos Aires, Barcelona, Valencia, Quito, Turquía.

(Pista 9) Ejercicio 9.
1. —¿Cómo se llama?
   —Rigoberta Menchú.
   —¿Puedes deletrearme el apellido?
   —Eme-e-ene-che / ce hache-u.
2. —¿Cómo se llama?
   —Carolina.
   —¿Y de apellido?
   —Herrera.
   —¿Cómo se escribe?
   —Hache-e-ere-ere-e-ere-a.
3. —¿Cómo se llama?
   —Antonio.
   —¿Cómo se escribe?
   —A-ene-te-o-ene-i-o.

(Pista 10) Ejercicio 10.
ese: sancocho; **efe:** flamenco; **i griega:** yuca; **pe:** patata; **e:** escritor; **uve:** vino; **ge:** guitarra; **jota:** jota; **a:** árbol; **zeta:** zambomba; **uve doble:** wolframio; **elle:** falla; **ka:** kiveve; **i:** iglesia; **ele:** tequila; **equis:** México; **o:** toro; **de:** pirámide; **u:** uva; **ere:** ron; **ene:** abanico; **che/ce hache:** churro; **eñe:** España; **cu:** Quijote; **te:** tortuga; **hache:** Honduras; **be:** botella; **ce:** café; **eme:** mate.

UNIDAD 2

(Pista 11) Ejercicio 1.
1. ¿Cómo te llamas? **2.** Vivo en Madrid. **3.** ¿Puedes repetir, por favor? **4.** Soy argentina. **5.** Me llamo Carlos. **6.** ¿A qué te dedicas?

(Pista 12) Ejercicio 3.
Me llamo María Teresa. Hablo español. ¿Dónde vives? ¿Cuántos años tienes? ¿Hablas español? ¿Vienes?

(Pista 13) Ejercicio 4.
1. ¿Qué tal? **2.** ¿De dónde eres? **3.** ¿Verdad? **4.** ¿Estudias o trabajas? **5.** ¿Eres estudiante?

(Pista 14) Ejercicio 5.
1. ¡Hasta luego! **2.** ¡Qué bien! **3.** ¡Uff! **4.** ¡Buenos días! **5.** ¡Estupendo!

(Pista 15) Ejercicio 6.
1. ¿Cómo estás? **2.** ¿Conoces a Carlos? **3.** ¡Encantado! **4.** ¡Buenas noches! **5.** ¡Ala!

(Pista 16) Ejercicio 7.
1. ¿Cómo? Puede repetir. **2.** Me llamo Carlos, ¿y tú? **3.** Y tú, ¿qué haces? **4.** ¿Cómo? No entiendo. **5.** Un momento, por favor.

(Pista 17) Ejercicio 8.
1. ¿Verdad? **2.** Por favor. **3.** ¿Te gusta estudiar idiomas? **4.** ¡Claro! **5.** ¡Sí! **6.** Estudio español.

(Pista 18) Ejercicio 9.
1. —¿Manuel? ¡Manuel! ¡Hombre! ¡Cuánto tiempo!
2. —¿Te gusta mi coche?
   —¿A mí?
3. —Te presento a José Manuel.
   —¡Ah! Mucho gusto.
   —Encantada.

(Pista 19) Ejercicio 10.
1. No te gusta. **2.** ¡Qué bien! **3.** ¿Hablas español?

UNIDAD 3

(Pista 20) Ejercicio 2. A.
1. Cama. **2.** Mesa. **3.** Lavadora. **4.** Sofá. **5.** Mesilla. **6.** Sillón. **7.** Tele. **8.** Horno. **9.** Cómoda. **10.** Silla. **11.** Nevera. **12.** Butaca.

(Pista 21) Ejercicio 3.
casa, mesa, cosa, sala, tela.

(Pista 22) Ejercicio 4.
1. Lavadora. **2.** Armario. **3.** Pared. **4.** Florero. **5.** Tenedor. **6.** Butaca. **7.** Alfombra. **8.** Visillo. **9.** Mesita. **10.** Cajonera.

(Pista 23) Ejercicio 5.
1. Bañera. **2.** Lavabo. **3.** Cocina. **4.** Lavadora. **5.** Plancha. **6.** Flexo. **7.** Alfombra.
8. Espejo. **9.** Cortina. **10.** Lámpara.

(Pista 24) Ejercicio 6.
1. Mantel. **2.** Servilleta. **3.** Tenedor. **4.** Cuchillo. **5.** Vaso. **6.** Botella. **7.** Copa. **8.** Cuchara. **9.** Plato. **10.** Jarra.

(Pista 25) Ejercicio 7. B.
1. ¿Qué haces en la cocina? **2.** Su apartamento es exterior. **3.** ¡Qué elegante! **4.** Me gusta la alfombra amarilla. **5.** La casa de mi amiga es grande.

(Pista 26) Ejercicio 8.
1. Ese piso es muy bonito. **2.** Mi casa es muy grande. **3.** El apartamento es demasiado pequeño. **4.** Mi casa da a un parque. **5.** La lámpara está encendida.

(Pista 27) Ejercicio 9.
1. —¿Cómo está la lámpara?
—La lámpara está apagada.
2. —¿Dónde está el niño?
—Está en la cuna.
3. —¿Te gusta el salón?
—¡Qué grande es!
4. —¿Qué hace?
—La cama.
5. —¿Dónde está Alberto?
—Viendo la tele.
6. —¿Te gustan las cortinas?
—¡Qué elegantes!

UNIDAD 4

(Pista 28) Ejercicio 1.
1. Iglesia. **2.** Tienda. **3.** Barrio. **4.** Ciudad. **5.** Estatua. **6.** Escuela. **7.** Antiguo. **8.** Ruinas.

(Pista 29) Ejercicio 3.
cielo, carta, cuarta, tapia, contiguo, patio.

(Pista 30) Ejercicio 4. A.
1. Paisaje. **2.** Jersey. **3.** Gasoil. **4.** Autobús. **5.** Europa. **6.** COU.

(Pista 31) Ejercicio 4. C.
1. El paisaje de la ciudad de Ceuta es impresionante. **2.** Quiero comprar un jersey en la boutique. **3.** El gasoil se compra en la gasolinera. **4.** Vamos a viajar a Soria en autobús. **5.** Asia, África, América, Oceanía y Europa son continentes. **6.** Luisa estudia COU en el instituto.

(Pista 32) Ejercicio 5.
1. baile, reno, reino, gasoil. **2.** sauna, sana, neumático, boutique.

(Pista 33) Ejercicio 6.
1. —¿Quién ha hecho esta foto?
    —¿Cuál?
    —Ésta del paisaje. Es fantástica.
    —La ha hecho Alfonso.
2. —¿Qué habéis hecho esta mañana?
    —Hemos ido a la sauna.
3. —¿Ha venido Montse?
    —No, se ha quedado en casa con Roberto.

(Pista 34) Ejercicio 8. A.
El lunes le dijo al martes que fuera a casa del miércoles a preguntarle al jueves si era verdad que el viernes le había dicho al sábado que el domingo era fiesta.

(Pista 35) Ejercicio 9.
1. Estudiáis. **2.** Uruguay. **3.** Pronunciáis. **4.** Paraguay. **5.** Iniciáis. **6.** Limpiáis. **7.** Ensuciáis.

(Pista 36) Ejercicio 10. B.
1. En Paraguay hay dos idiomas oficiales: el guaraní y el español. **2.** Es importante que pronunciéis correctamente. **3.** Uruguay está en América del Sur. **4.** ¿Cuándo iniciáis la remodelación del apartamento? **5.** ¿Limpiáis este fin de semana?

(Pista 37) Ejercicio 11. A.
droguería, frutería, papelería, farmacia, carnicería.

(Pista 38) Ejercicio 12.
pie, oí, frío, capicúa.

(Pista 39) Ejercicio 13.
1. —¿Cómo está Paula?
    —Seria.
2. —¿Qué tiempo hace?
    —Frío.
3. —¿Cuándo vas al cine?
    —Hoy.
4. —¿Hay un libro aquí?
    —No, ahí.

UNIDAD 5

(Pista 40) Ejercicios 1. y 2.
1. Piloto. **2.** Dependiente/Dependienta. **3.** Bailarín/Bailarina. **4.** Abogado/Abogada. **5.** Profesor/Profesora. **6.** Vendedor/Vendedora. **7.** Bombero/Bombera. **8.** Contable. **9.** Recepcionista. **10.** Policía.

(Pista 41) Ejercicio 3.
1. avión, barra, bandeja, bolígrafo. **2.** cultivar, vender, volar, bailar. **3.** psicólogo, periodista, aparejador, peluquero.

(Pista 42) Ejercicio 4.
1. El bombero trabaja en el parque de bomberos. **2.** El vendedor de pisos trabaja en una inmobiliaria. **3.** La piloto trabaja en el aeropuerto. **4.** La dependienta trabaja

en una tienda. **5.** El bailarín actúa en el escenario. **6.** El abogado trabaja en un bufete. **7.** La profesora trabaja en la universidad. **8.** El recepcionista trabaja en la recepción. **9.** La policía trabaja en la comisaría. **10.** El contable trabaja en la oficina.

(Pista 43) Ejercicio 5.
diseñador, dentista, periodista, modisto, médico, administrativo.

(Pista 44) Ejercicio 6.
1. Torero. **2.** Cantante. **3.** Arquitecto. **4.** Traductor. **5.** Pintor.

(Pista 45) Ejercicio 7.
1. toro. **2.** tos. **3.** tuna. **4.** drama. **5.** falda. **6.** dardo. **7.** tía. **8.** nata. **9.** cuadro.

(Pista 46) Ejercicio 8.
toro, cuatro, dardo, tos, tuna, falda, cuadro, falta, tía, trama, doro, tardo, nada, drama, duna, día, dos, nata.

(Pista 47) Ejercicio 9.
1. Patricia tiene tos. **2.** Está en el tejado. **3.** ¿Qué quieres tomar? **4.** Vamos a ver un drama.

(Pista 48) Ejercicio 10.
1. Actor. **2.** Cartero. **3.** Arquitecto. **4.** Cantante. **5.** Taxista. **6.** Cocinero.

(Pista 49) Ejercicio 12.
camarero, quesero, karateca, quiosquero, costurera.

(Pista 50) Ejercicio 13.
1. Abogado. **2.** Iglesia. **3.** Gramático. **4.** Lingüista. **5.** Ganadero. **6.** Guitarrista. **7.** Mago.

(Pista 51) Ejercicio 14.
1. Bilingüe. **2.** Pingüino. **3.** Guerrero. **4.** Guitarrista. **5.** Guía. **6.** Guisante. **7.** Juego. **8.** Asignatura.

(Pista 52) Ejercicio 15. A.
Si su gusto no gusta del gusto que gusta mi gusto, que disgusto se lleva mi gusto al saber que su gusto no gusta del gusto que gusta mi gusto.

UNIDAD 6

(Pista 53) Ejercicio 2.
José, Julia, Ginebra, Jorge, Javier, Guadalupe, Juan, Jaime, Ginés, Miguel.

(Pista 54) Ejercicio 3. A.
1. Hijo. **2.** Ahijado. **3.** Mujer. **4.** Pareja. **5.** Cónyuge.

(Pista 55) Ejercicio 4. B.
Julio Rodríguez está casado, su mujer se llama Guadalupe. Tienen un hijo, Hugo. Viven en Granada. Trabaja de jefe de ventas en unos grandes almacenes. Es vegetariano y le gusta mucho tocar la guitarra.

(Pista 56) Ejercicios 5. y 6. A.
1. Sobrino. **2.** Padres. **3.** Esposo. **4.** Tíos. **5.** Suegro. **6.** Consuegra. **7.** Madrastra.

(Pista 57) Ejercicio 8. B.
1. José es el esposo de Julia. **2.** José y Julia son los padres de Jorge, Javier y Guadalupe. **3.** Ginés es el sobrino de Guadalupe y de Javier. **4.** José es el suegro de Ginebra y Juan. **5.** Javier, Guadalupe y Juan son los tíos de Jaime y Ginés.

(Pista 58) Ejercicio 9. A.
1. Nacer. **2.** Bautizar. **3.** Divorciarse. **4.** Casarse. **5.** Morirse. **6.** Separarse.

(Pista 59) Ejercicio 10.
A. ¿Que cómo es la familia hispana? Pues, depende del país, pero es muy importante. En Cuba es grande y está formada por los padres, tres o cuatro hijos, abuelos, tíos, sobrinos y padrinos. Los hombres trabajan fuera de casa y las mujeres se ocupan de los quehaceres domésticos y de la crianza, aunque esto está cambiando. La mayor parte de las actividades sociales, almuerzos, celebraciones, etcétera. se realizan siempre con la familia.
B. ¿La familia española? No sé, hay muchos tipos y, sobre todo, ha cambiado mucho en los últimos años, pero sigue siendo muy importante. La familia más habitual es la que tiene un padre, una madre y un solo hijo, a lo sumo dos. Estos viven con los padres hasta muy tarde. Lo normal es que los padres trabajen fuera de casa y que los abuelos cuiden de los hijos más pequeños.

(Pista 60) Ejercicio 11. A.
1. Familia. **2.** Filial. **3.** Huérfano. **4.** Felicitación. **5.** Festejar.

(Pista 61) Ejercicio 12.
1. —¿Cómo es tu cuñado?
—Es majo.
2. —¿Cómo estás?
—Cansado.
3. —¿Dónde está tu familia?
—En una fiesta.
4. —¿A qué se dedica tu hermano?
—Es mago.
5. —¿Tienes hijas?
—No, tengo un hijo.
6. —¿Tienes fresas?
—No tengo un higo.
7. —¿Cocinas?
—Un cocido.
8. —¿Qué haces?
—Un cosido.

UNIDAD 7

(Pista 62) Ejercicio 2.
1. Ca-be-za. **2.** Cue-llo. **3.** Pe-cho. **4.** Bra-zo. **5.** Co-do. **6.** Ma-no. **7.** De-do. **8.** Cin-tu-ra. **9.** Es-pal-da. **10.** Pier-na. **11.** Ro-di-lla. **12.** Pie.

(Pista 63) Ejercicio 3.
1. Oreja. **2.** Mejilla. **3.** Pestaña. **4.** Diente. **5.** Frente. **6.** Ceja. **7.** Ojo. **8.** Nariz. **9.** Boca. **10.** Labio.

(Pista 64) Ejercicio 4.
1. Espalda. **2.** Cintura. **3.** Tobillo. **4.** Músculo. **5.** Mejilla. **6.** Hueso.

(Pista 65) Ejercicios 5. y 6.
1. Axilas. **2.** Cejas. **3.** Muñeca. **4.** Nuca. **5.** Párpados. **6.** Hígado. **7.** Corazón. **8.** Lengua. **9.** Pestañas.

(Pista 66) Ejercicio 7.
puntual, triste, gruñón, dócil, guapo, cortés, inteligente, feliz.

(Pista 67) Ejercicio 9.
llorón, simpático, pálido, trabajador, perezoso, cariñoso, práctico, hablador, vago, débil, antipático, bajo, atlético, alto, guapo.

(Pista 68) Ejercicio 12.
1. médico. **2.** pie. **3.** diagnóstico. **4.** público. **5.** ejército.

(Pista 69) Ejercicio 13. B.
1. Como no hagas deporte, no tendrás buena salud. **2.** ¿No te encuentras bien? **3.** Me duele la cabeza, la garganta y los oídos. **4.** ¿Qué le pasa? **5.** No, necesito descansar.

UNIDAD 8

(Pista 70) Ejercicios 1. y 2.
1. Yogur. **2.** Pera. **3.** Naranja. **4.** Calamar. **5.** Azúcar. **6.** Mandarina. **7.** Merluza. **8.** Sardina. **9.** Refresco. **10.** Cordero. **11.** Repollo.

(Pista 71) Ejercicio 3. A.
1. Pera. **2.** Repollo. **3.** Calamar. **4.** Espárrago. **5.** Boquerón. **6.** Arroz.

(Pista 72) Ejercicio 4.
1. Zanahoria. **2.** Puerro. **3.** Albaricoque. **4.** Cereza. **5.** Licor. **6.** Refresco. **7.** Cordero. **8.** Rape. **9.** Brécol. **10.** Cerdo. **11.** Trucha. **12.** Ternera. **13.** Merluza. **14** Ciruela. **15.** Ron.

(Pista 73) Ejercicio 7. A.
1. Merluza. **2.** Pulpo. **3.** Salmón. **4.** Lubina. **5.** Lenguado. **6.** Palometa.

(Pista 74) Ejercicio 8.
1. Tamarillo. **2.** Membrillo. **3.** Grosella. **4.** Granadilla.

(Pista 75) Ejercicio 9. A.
1. Amargo. **2.** Dulce. **3.** Ácido. **4.** Agrio.

(Pista 76) Ejercicio 10. B.
Dependiente: Buenos días.
Cliente: Buenos días.

Dependiente: ¿Qué le pongo?
Cliente: Una barra de pan y una botella de leche.
Dependiente: ¿De litro o de litro y medio?
Cliente: De litro y medio.
Dependiente: ¿Quiere algo más?
Cliente: Sí, trescientos gramos de jamón york y queso.
Dependiente: ¿Un trozo?
Cliente: No, en lonchas, por favor.
Dependiente: ¿Algo más?
Cliente: No, nada más. La cuenta, por favor.
Dependiente: Vamos a ver. Son 24 euros.

(Pista 77) **Ejercicio 12.**
1. —¿Cuál te apetece?
—Prefiero un bollo.
2. —¿Qué van a tomar?
—Yo, de primero, pollo.
3. —¿Qué van a tomar de primero?
—Un entrante, arroz.
4. —¿Qué le pongo?
—Una barra.

UNIDAD 9

(Pista 78) **Ejercicios 1. y 2.**
1. Chaqueta. **2.** Chándal. **3.** Chubasquero. **4.** Poncho. **5.** Traje chaqueta. **6.** Pichi. **7.** Chal.

(Pista 79) **Ejercicio 3.**
1. poncho. **2.** sal. **3.** raya. **4.** chaqueta. **5.** manta. **6.** chillón.

(Pista 80) **Ejercicio 4.**
1. Chanclas. **2.** Broche. **3.** Chinelas. **4.** Chaleco. **5.** Chaquetón. **6.** Chamarra.

(Pista 81) **Ejercicio 5. B.**
1. Abrochar. **2.** Ancho. **3.** Percha. **4.** Planchar. **5.** Arrugar. **6.** Perchero. **7.** Estrecho. **8.** Desabrochar.

(Pista 82) **Ejercicios 6. y 7.**
1. Jersey. **2.** Joya. **3.** Rayas. **4.** Soy. **5.** Playeras. **6.** Muy.

(Pista 83) **Ejercicio 8.**
1. Malla. **2.** Anillo. **3.** Joya. **4.** Piyama. **5.** Pollera. **6.** Playeras.

(Pista 84) **Ejercicio 9.**
1. —¿Qué desea?
—Tienen camisetas de manga larga.
—Sí, un momento.
2. —María, ¿dónde está mi piyama?
—Alfonso, está en el armario.

3. —¿Qué te pasa?
—Se me ha roto el cordón de la playera.

(Pista 85) Ejercicio 10. B.
1. —Buenos días, ¿qué desea?
—Una chaqueta de rayas.
—¿Qué talla?
—La 40, por favor.
2. —Buenos días, ¿la puedo ayudar en algo?
—Sí. ¿Tienen chubasqueros lisos?
—Sí. Ahora mismo se los enseño.
3. —¡Hola!, ¿te puedo ayudar?
—Sí, estoy buscando playeras.
—¿Qué número necesitas?
—El número treinta y ocho.
4. —Perdone, ¿cuánto cuestan estas chinelas?
—Cuarenta y ocho euros.
—Muchas gracias.

(Pista 86) Ejercicio 11.
—Yago, ¿cómo te gusta vestir? ¿Qué tipo de ropa prefieres?
—Bueno, pues no sé qué decirte. Visto de manera informal. Normalmente utilizo ropa ancha, la ropa estrecha no me gusta. Suelo llevar camisetas. Siempre uso pantalones vaqueros. ¡Ah! Y en verano siempre llevo chanclas y uso gorra.
—¿Gorra?
—Sí, me encantan las gorras.

UNIDAD 10

(Pista 87) Ejercicios 2. y 3.
1. Asiento. **2.** Mostrador. **3.** Estación. **4.** Tranvía. **5.** Locomotora. **6.** Embarque.
7. Vagón. **8.** Avión. **9.** Metro. **10.** Tren.

(Pista 88) Ejercicio 4.
álbum, embarque, tándem, microbús, motocicleta, metro.

(Pista 89) Ejercicio 5.
1. álbum, maletero, información, aeromozo. **2.** cinta, cabina, capitán, embarcar.
3. túnel, balanza, tranvía, dársena.

(Pista 90) Ejercicio 6.
transporte, transbordo, transeúnte, turbulencia, comandante.

(Pista 91) Ejercicio 7. A.
1. Cinta. **2.** Tripulación. **3.** Maleta. **4.** Camarote. **5.** Túnel. **6.** Muelle. **7.** Aeromoza.
8. Ventanilla. **9.** Terminal. **10.** Facturación.

(Pista 92) **Ejercicio 7. C.**
1. Por favor, deposite sus cosas en la cinta mecánica. **2.** Siga las instrucciones de la tripulación. **3.** ¿Puedo facturar esta maleta? **4.** Viajamos en un camarote exterior. **5.** Atención, el tren se acerca a un túnel. **6.** El barco está atracado en el muelle seis. **7.** En América se llama aeromozas a las azafatas de aviación. **8.** ¿Qué prefiere, ventanilla o pasillo? **9.** Por favor, ¿el mostrador de facturación de Iberia? **10.** El vuelo sale de la terminal tres.

(Pista 93) **Ejercicio 8.**
1. cama. **2.** moto. **3.** moción. **4.** camino. **5.** como. **6.** eme.

(Pista 94) **Ejercicio 10.**
1. Eñe. **2.** España. **3.** Montaña. **4.** Otoño. **5.** Compañía.

(Pista 95) **Ejercicio 11.**
1. Añorar. **2.** Español. **3.** Acompañante. **4.** Campana. **5.** Navegar. **6.** Caravana. **7.** Compañía. **8.** Señal. **9.** Itinerario.

(Pista 96) **Ejercicio 12. B.**
Empleado: Buenos días.
Cliente: Buenos días. Quería un billete para Madrid.
Empleado: ¿Para cuándo?
Cliente: Para mañana. ¿Qué vuelos hay?
Empleado: Tiene varios, dependiendo de la compañía: el primero, el de Iberia, sale a las ocho, un poco más tarde hay otro de Air Europa, a las nueve y, a medianoche, uno de AeroMéxico que sale a las doce y cuarto.
Cliente: ¿A qué hora llega el de medianoche?
Empleado: A las ocho de la mañana. Llega a la terminal número 1.
Cliente: Perfecto. Deme un billete de ida y vuelta para ese avión.

(Pista 97) **Ejercicio 13.**
1. ¿Qué significa Hispania? **2.** ¿Cuál es tu camino? **3.** ¿Hago algo? **4.** ¿Estás soltera? **5.** ¿Quién es?

SOLUCIONARIO

UNIDAD 1

2. Respuesta libre.

4. **1.** H. **2.** Ñ. **3.** X. **4.** G. **5.** R. **6.** C.

5. **1.** Italia. **2.** Japón. **3.** Perú. **4.** México. **5.** Francia.

6. Respuesta libre.

9. **1.** Eme-e-ene-che/ce hache-u. **2.** Hache-e-ere-ere-e-ere-a. **3.** A-ene-te-o-ene-i-o.

10. **ese:** sancocho; **efe:** flamenco; **i griega:** yuca; **pe:** patata; **e:** escritor; **uve:** vino; **ge:** guitarra; **jota:** jota; **a:** árbol; **zeta:** zambomba; **uve doble:** wolframio; **elle:** falla; **ka:** kiveve; **i:** iglesia; **ele:** tequila; **equis:** México; **o:** toro; **de:** pirámide; **u:** uva; **ere:** ron; **ene:** abanico; **che/ce hache:** churro; **eñe:** España; **cu:** Quijote; **te:** tortuga; **hache:** Honduras; **be:** botella; **ce:** café; **eme:** mate.

UNIDAD 2

4. **1.** ¿Qué tal? (↘). **2.** ¿De dónde eres? (↘). **3.** ¿Verdad? (↗). **4.** ¿Estudias o trabajas? (↗). **5.** ¿Eres estudiante? (↗).

6. **1.** ¿Cómo estás? **2.** ¿Conoces a Carlos? **3.** ¡Encantado! **4.** ¡Buenas noches! **5.** ¡Ala!

7. **1.** a. **2.** a. **3.** a. **4.** b. **5.** c.

8. **A.** **1.** ¿Verdad? **2.** Por favor. **3.** ¿Te gusta estudiar idiomas? **4.** ¡Claro! **5.** ¡Sí! **6.** Estudio español.

9. **1.** a. **2.** b. **3.** a.

10. **1.** b. **2.** a. **3.** b.

UNIDAD 3

2. **A.** **1.** Cama. **2.** Mesa. **3.** Lavadora. **4.** Sofá. **5.** Mesilla. **6.** Sillón. **7.** Tele. **8.** Horno. **9.** Cómoda. **10.** Silla. **11.** Nevera. **12.** Butaca.
B. Dormitorio: cama, mesilla, cómoda. **Salón:** mesa, sofá, sillón, tele, silla, butaca. **Cocina:** lavadora, horno, nevera.

3. casa, mesa, cosa, sala, tela.

4. **1.** Lavadora. **2.** Armario. **3.** Pared. **4.** Florero. **5.** Tenedor. **6.** Butaca. **7.** Alfombra. **8.** Visillo. **9.** Mesita. **10.** Cajonera.

5. **1.** Bañera. **2.** Lavabo. **3.** Cocina. **4.** Lavadora. **5.** Plancha. **6.** Flexo. **7.** Alfombra. **8.** Espejo. **9.** Cortina. **10.** Lámpara.

6. **1.** Mantel. **2.** Servilleta. **3.** Tenedor. **4.** Cuchillo. **5.** Vaso. **6.** Botella. **7.** Copa. **8.** Cuchara. **9.** Plato. **10.** Jarra.

7. **A. 1.** ¿Qu**é ha**ces en la cocina? **2. Su** apartamento es exterior. **3.** ¡Qu**é** elegante! **4.** Me gusta l**a** alfombr**a a**ma**r**iga amarilla. **5.** La casa de m**i a**miga **es** grande.

8. **1.** Ese piso es muy bonito. **2.** Mi casa es muy grande. **3.** El apartamento es demasiado pequeño. **4.** Mi casa da a un parque. **5.** La lámpara está encendida.

9. **1.** b. **2.** a. **3.** a. **4.** a. **5.** a. **6.** b.

UNIDAD 4

2. **A. i + a:** iglesia, **i + e:** tienda, **i + o:** barrio, **i + u:** ciudad, **u + a:** estatua, **u + e:** escuela, **u + o:** antiguo, **u + i:** ruinas.

3. cielo, carta, cuarta, tapia, contiguo, patio.

4. **B. 1.** paisaje. **2.** jersey. **3.** gasoil. **4.** autobús. **5.** Europa. **6.** COU.

5. **1. ai:** baile. **ei:** reino. **e:** reno. **oi:** gasoil. **2. au:** sauna. **a:** sana. **eu:** neumático. **ou:** boutique.

6. **1.** paisaje. **2.** sauna. **3.** casa.

7. **1.** lunes. **2.** martes. **3.** miércoles. **4.** jueves. **5.** viernes. **6.** sábado. **7.** domingo.

8. **A.** El lunes le dijo al martes que fuera a casa del miércoles a preguntarle al jueves si era verdad que el viernes le había dicho al sábado que el domingo era fiesta.

9. **1.** Estudiáis. **2.** Uruguay. **3.** Pronunciáis. **4.** Paraguay. **5.** Iniciáis. **6.** Limpiáis. **7.** Ensuciáis.

11. **A.** droguería, frutería, papelería, farmacia, carnicería.
    B. í-a: droguería, frutería, papelería, carnicería.**-ia:** farmacia.

12. **1 sílaba:** pie, frío. **2 sílabas:** o-í, capicú-a.

13. **1.** b. **2.** a. **3.** a. **4.** a.

UNIDAD 5

2. **a. [b]:** bailarín/a, abogado/a, bombero/a, vendedor/a, contable. **[p]:** piloto, policía, dependiente/a, profesor/a, recepcionista.

3. **1.** avión. **2.** cultivar. **3.** psicólogo.

4. **1.** parque de bomberos. **2.** inmobiliaria. **3.** aeropuerto. **4.** tienda. **5.** escenario. **6.** bufete. **7.** universidad. **8.** recepción. **9.** comisaría. **10.** oficina.

5. diseñador, periodista, médico, modisto.

7. **1.** toro. **2.** tos. **3.** tuna. **4.** drama. **5.** falda. **6.** dardo. **7.** tía. **8.** nata. **9.** cuadro.

8. Respuesta libre.

9. **1.** a. **2.** a. **3.** a. **4.** a.

11. **1.** Máscara. **2.** Carta. **3.** Compás. **4.** Micrófono. **5.** Taxi. **6.** Cocina.

12. **c + o, a, u:** camarero, costurera. **qu + e, i:** quesero, quiosquero. **k + vocal:** karateca.

14. **1.** Bilingüe. **2.** Pingüino. **3.** Guerrero. **4.** Guitarrista. **5.** Guía. **6.** Guisante. **7.** Juego. **8.** Asignatura.

15. **A.** Si su gusto no gusta del gusto que gusta mi gusto, que disgusto se lleva mi gusto al saber que su gusto no gusta del gusto que gusta mi gusto.

UNIDAD 6

2. **/x/:** José, Julia, Ginebra, Jorge, Javier, Juan, Jaime, Gines. **/g/:** Guadalupe, Miguel.

4. **B. [g]:** Rodríguez, Guadalupe, Hugo, Granada, grandes, gusta, guitarra. **[x]:** Julio, mujer, hijo, trabaja, jefe, vegetariano.

6. **A.** consuegra.

7. 1. o. **2.** e. **3.** c. **4.** a. **5.** b. **6.** d. **7.** p. **8.** ñ. **9.** i. **10.** g. **11.** j. **12.** l. **13.** m. **14.** k. **15.** h. **16.** n. **17.** f.

8. A. 1. esposo. **2.** padres. **3.** sobrino. **4.** suegro. **5.** tíos.
C. Respuestas posibles: 1. Jorge es el hermano de Javier y Guadalupe. **2.** Juan es el cuñado de Jorge y Ginebra. **3.** José es el abuelo de Jaime, Ginés y Miguel. **4.** Ginés es el nieto de Julia. **5.** Juan es el yerno de Julia y José. **6.** Ginebra es la nuera de Julia y José. **7.** Miguel es el primo de Jaime y Ginés.

10. A. no pronuncia la /s/ al final de palabra. **B.** diferencia /s/ y /θ/. **B.** pronuncia la /s/ final.

12. 1. ¿Cómo es tu cuñado? **2.** ¿Cómo estás? **3.** ¿Dónde está tu familia? **4.** ¿A qué se dedica tu hermano? **5.** ¿Tienes hijas? **6.** ¿Tienes fresas? **7.** ¿Cocinas? **8.** ¿Qué haces?

UNIDAD 7

2. 1. Ca-be-za. (3). **2.** Cue-llo. (2). **3.** Pe-cho. (2). **4.** Bra-zo. (2). **5.** Co-do. (2). **6.** Ma-no. (2). **7.** De-do. (2). **8.** Cin-tu-ra. (3). **9.** Es-pal-da. (3). **10.** Pier-na. (2). **11.** Ro-di-lla. (3). **12.** Pie. (1).

3. B. 1. Oreja. **2.** Mejilla. **3.** Pestaña. **4.** Diente. **5.** Frente. **6.** Ceja. **7.** Ojo. **8.** Nariz. **9.** Boca. **10.** Labio.

4. 1. Espalda. **2.** Cintura. **3.** Tobillo. **4.** Músculo. **5.** Mejilla. **6.** Hueso.

5. 1. Axilas. **2.** Cejas. **3.** Muñeca. **4.** Nuca. **5.** Párpados. **6.** Hígado. **7.** Corazón. **8.** Lengua. **9.** Pestañas.

6. x - -: párpados, hígado. **- x -:** axilas, cejas, muñeca, nuca, lengua, pestañas. **- - x:** corazón.

7. Agudas: puntual, gruñón, cortés, feliz. **Llanas:** triste, dócil, guapo, inteligente.

8. Agudas con tilde ('): –n: gruñón. –s: cortés. **Agudas sin tilde ('):** puntual, feliz. **Llanas con tilde ('):** Consonante diferente de n, s: dócil. **Llanas sin tilde ('):** triste, guapo, inteligente.

9. Agudas: llorón, trabajador, hablador. **Llanas:** perezoso, cariñoso, vago, débil, bajo, alto, guapo. **Esdrújulas:** simpático, pálido, práctico, antipático, atlético.

10. Adjetivos de carácter: llorón, trabajador, hablador, perezoso, cariñoso, vago, débil, simpático, práctico, antipático. **Adjetivos físicos:** bajo, alto, guapo, pálido, atlético.

11. 1. Cortés. **2.** Tímido. **3.** Egoísta. **4.** Abierto.

12. 1. médico. **2.** pie. **3.** diagnóstico. **4.** público. **5.** ejército.

13. A. 1. Como no hagas deporte, no tendrás buena salud. **2.** ¿No te encuentras bien? **3.** Me duele la cabeza, la garganta y los oídos. **4.** ¿Qué le pasa? **5.** No, necesito descansar.

UNIDAD 8

1. 1. Yogur. **2.** Pera. **3.** Naranja. **4.** Calamar. **5.** Azúcar. **6.** Mandarina. **7.** Merluza. **8.** Sardina. **9.** Refresco. **10.** Cordero. **11.** Repollo.

2. A. Yogur, pera, naranja, calamar, azúcar, mandarina, merluza, sardina, cordero. **B. Frutería:** pera, naranja, mandarina, repollo. **Carnicería:** cordero. **Pescadería:** calamar, merluza, sardina. **Panadería:** yogur, azúcar, refresco.

3. A. 1. suave. **2.** fuerte. **3.** suave. **4.** fuerte. **5.** suave. **6.** fuerte.

4. 1. Zanahoria. **2.** Puerro. **3.** Albaricoque. **4.** Cereza. **5.** Licor. **6.** Refresco. **7.** Cordero. **8.** Rape. **9.** Brécol. **10.** Cerdo. **11.** Trucha. **12.** Ternera. **13.** Merluza. **14.** Ciruela. **15.** Ron.

5. [r]: zanahoria, albaricoque, cereza, licor, cordero, brécol, cerdo, trucha, ternera, merluza, ciruela. **[r̄]:** puerro, refresco, rape, ron.

6. Carne: cordero, cerdo, ternera. **Pescado:** rape, trucha, merluza. **Verduras:** zanahoria, puerro, brécol. **Frutas:** albaricoque, cereza, ciruela. **Bebidas:** licor, refresco, ron.

9. A. 1. Amargo. **2.** Dulce. **3.** Ácido. **4.** Agrio.

B. 1. agrio. **2.** ácido. **3.** amarga. **4.** dulce.

10. A. 1. barra. **2.** botella. **3.** litro. **4.** litro. **5.** litro. **6.** gramos. **7.** trozo. **8.** lonchas.

11. 1. k. **2.** c. **3.** f. **4.** d. **5.** a. **6.** e. **7.** h. **8.** j. **9.** g. **10.** i. **11.** b. **12.** l.

12. 1. a. **2.** a. **3.** b. **4.** b.

UNIDAD 9

1. 1. chaqueta. **2.** poncho. **3.** chandal. **4.** chubasquero. **5.** pichi. **6.** traje chaqueta. **7.** chal.

3. 1. poncho. **2.** sal. **3.** raya. **4.** chaqueta. **5.** manta. **6.** chillón.

4. A. 1. Chanclas. **2.** Broche. **3.** Chinelas. **4.** Chaleco. **5.** Chaquetón. **6.** Chamarra.

5. A. 1. Abrochar. **2.** Ancho. **3.** Percha. **4.** Planchar. **5.** Arrugar. **6.** Perchero. **7.** Estrecho. **8.** Desabrochar.

7. A. No. En posición final se pronuncia igual que la vocal i.

8. 1. Malla. **2.** Anillo. **3.** Joya. **4.** Piyama. **5.** Pollera. **6.** Playeras.

9. 1. manga. **2.** piyama. **3.** playera.

10. A. 1. Una chaqueta. La 40. **2.** chubasqueros. **3.** playeras. **4.** chinelas.

11. Yago viste de manera informal. Normalmente utiliza ropa ancha. Lleva camisetas y usa pantalones vaqueros. En verano usa gorra y lleva chanclas.

UNIDAD 10

3. [m]: mostrador, locomotora, embarque, metro. **[n]:** asiento, estación, tranvía, vagón, avión, tren.

4. Se pronuncia como **[n]** en *álbum* y *tándem*.

5. 1. álbum. **2.** embarcar. **3.** tranvía.

6. transporte, transbordo, transeúnte.

7. A. 1. Cinta. **2.** Tripulación. **3.** Maleta. **4.** Camarote. **5.** Túnel. **6.** Muelle. **7.** Aeromoza. **8.** Ventanilla. **9.** Terminal. **10.** Facturación.
B. Tren: maleta, túnel, ventanilla. **Barco:** maleta, camarote, ventanilla.
Avión: cinta, tripulación, maleta, aeromoza, ventanilla, terminal, facturación.
C. 1. cinta. **2.** tripulación. **3.** maleta. **4.** camarote. **5.** túnel. **6.** muelle. **7.** aeromozas. **8.** ventanilla. **9.** facturación. **10.** terminal.

8. 1. cama. **2.** moto. **3.** moción. **4.** camino. **5.** como. **6.** eme.

9. **A. 1.** Navegar. **2.** Andar. **3.** Cancelar. **4.** Confirmar. **5.** Embarcar. **6.** Manejar.
   B. 1. Navegar. **2.** Confirmar. **3.** Manejar. **4.** Andar. **5.** Cancelar. **6.** Embarcar.

11. **1.** Añorar. **2.** Español. **3.** Acompañante. **4.** Campana. **5.** Navegar. **6.** Carava-na. **7.** Compañía. **8.** Señal. **9.** Itinerario.

12. **A. 1.** Madrid. **2.** mañana. **3.** compañía. **4.** medianoche. **5.** terminal.

13. **1.** a. **2.** b. **3.** a. **4.** b. **5.** a.